ı Service
s

Brum, brum! W drog—

Brrmm! Let's Go!

Julie Kingdon
Illustrated by Leo Broadley

Polish translation by Jolanta Starek-Corile

Mam na imię Lian i jadę
z tatą na rowerze.
W drogę!

I'm Lian and I ride on the back
of Daddy's bicycle.

bring

briiing!

Let's go!

總會
洲夜總會
PHILIPS
生油王
生油王

Mam na imię John i jadę przez pola
na traktorze mojego taty.
W drogę!

My name's John. I'm riding through the
fields on Dad's tractor.

Rumble-grumble
judder-trundle!

Let's go!

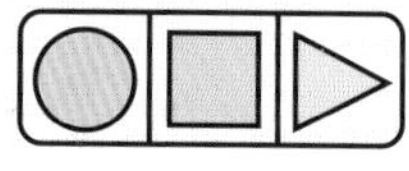

99
99

Nazywam się Falda. Jadę na śnieżnym skuterze mojej starszej siostry.
W drogę!

I'm Falda and I'm whizzing along on my big sister's snow-mobile.

Vrmmm Vrmmm

Varrooooom!

Nazywam się Lucia.
Płynę z tatą jego gondolą.
W drogę!

My name's Lucia. My daddy and I glide through the water in his gondola.

Mam na imię Sera i ląduję na wodzie hydroplanem mojej cioci. W drogę!

I'm Sera and I'm landing on the water in my aunty's seaplane.

Nazywam się Lizzie.
Jadę taksówką z moim bratem.
W drogę!

My name's Lizzie. My brother and I are riding in a taxi.

Mam na imię Niran i jadę do domu
tuk-tukiem mojego wujka.
W drogę!

I'm Niran and I'm riding home on my
uncle's tuk-tuk.

Honk honk

bounce brake!

Nazywam się Tumelo.
Lecę z mamą jej helikopterem.
W drogę!

My name is Tumelo. I can fly with my mum in her helicopter.

Swish swish
whirr vrrrum!

Let's Go!

Mam na imię Massak i śmigam po śniegu na sankach ciągniętych przez psy husky.
W drogę!

I'm Massak and I'm zooming across the snow on a sledge pulled by huskies.

Woof woof

whiiiiiiiizzzzzz!

Nazywam się Arpan. Podróżuję pociągiem przez cały kraj.
W drogę!

My name's Arpan. I'm travelling through the country on a train.

Clickerty
clickerty
clackerty
Whoooooooooooooosh!

Let's go!

1237

Mam na imię Zahur i jadę
motocyklem mojego taty.
W drogę!

I'm Zahur and I'm riding on my
dad's motorbike.

PHUT PHUT

VVRRRRRROOOOOM!

Thailand
South Africa
Norway
India
Italy
UK
Russia
China
USA
Egypt
Fiji
?
i